Le canard

SYROS

Le canard

© Dessain, Bruxelles, 1993
Département de De Boeck-Wesmael
D 1993/0074/179
ISBN 2-8041-1851-7

Exclusivité pour la France, la Suisse et le Canada:
Editions SYROS, 9 bis, rue Abel Hovelacque   75013 Paris
ISBN 2 86738 965.8

Imprimé en Italie par G. Canale & C. S.p.A. - Borgaro Torinese (Torino)

Le canard

Francesco Pittau Bernadette Gervais

Le petit canard aime
patauger dans la boue.

Les grands canards aiment
aussi patauger dans la boue.

Les canards aiment patauger entre eux.

Plus il y a de boue, plus les canards aiment patauger.

Car les canards aiment beaucoup, beaucoup, beaucoup patauger.

Patauger dans la boue, c'est sale !

Les canards aiment aussi nager…

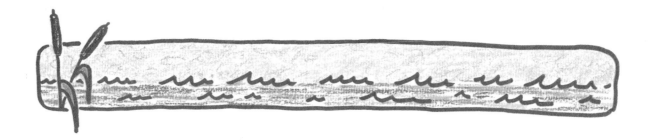

Ils aiment
barboter dans l'eau…

Barboter dans l'eau, c'est propre!...

Mais les canards aiment surtout patauger dans la boue!